Complot au palais

L'auteur : Marie-Hélène Delval est auteur
de nombreux romans et histoires pour la jeunesse,
publiés aux éditions Bayard Jeunesse, Flammarion…
Pour Bayard, elle est également traductrice
de l'anglais (*Les séries L'Épouvanteur*
et *La cabane magique, L'Aîné*…).
C'est une passionnée de « littérature de l'Imaginaire »
et – bien sûr – de fantasy !

L'illustrateur : Alban Marilleau a étudié
à l'École Supérieure de l'Image d'Angoulême.
Depuis, il illustre des albums, de la bande dessinée,
et travaille pour Bayard Presse.
Ses ouvrages sont notamment publiés
aux éditions Nathan et Larousse. Pour représenter
l'univers magique des Dragons de Nalsara,
il s'est inspiré des ambiances qu'il fréquentait
déjà enfant, dans les romans de Tolkien.

© 2017, Bayard Éditions
© 2010, Bayard Éditions
© 2008, Bayard Éditions Jeunesse
Dépôt légal : octobre 2008
ISBN : 978-2-7470-2713-7
Troisième édition : juillet 2018

Loi n°49-956 du 16 juillet 1949 sur les publications à destination de la jeunesse.

Imprimé en Espagne par Novoprint

Les dragons de Nalsara
3

Complot au palais

Marie-Hélène Delval

Illustrations d'Alban Marilleau

bayard jeunesse

Les dragons de Nalsara

Cette histoire se passe au royaume
d'Ombrune, sous le règne du roi Bertram.
À deux heures de bateau du port de Nalsara,
la capitale, s'élève l'île aux Dragons.
On l'appelle ainsi car, tous les neuf ans,
deux ou trois dragonnes sauvages
viennent y déposer leur œuf.
C'est là que vit Antos, le Grand Éleveur
de dragons, avec ses enfants, Cham et Nyne.

Cham

Antos

Nyne

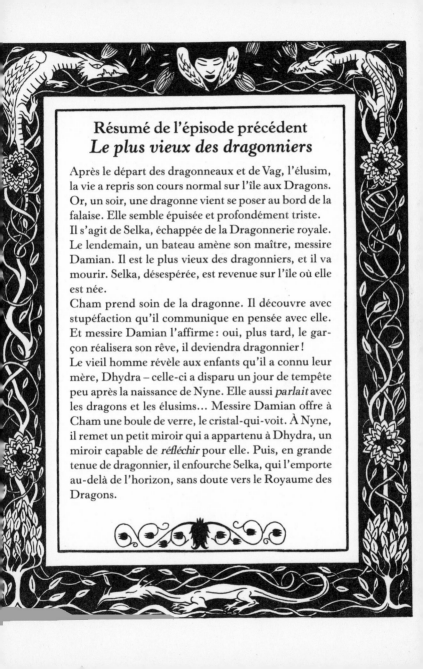

Résumé de l'épisode précédent
Le plus vieux des dragonniers

Après le départ des dragonneaux et de Vag, l'élusim, la vie a repris son cours normal sur l'île aux Dragons. Or, un soir, une dragonne vient se poser au bord de la falaise. Elle semble épuisée et profondément triste.

Il s'agit de Selka, échappée de la Dragonnerie royale. Le lendemain, un bateau amène son maître, messire Damian. Il est le plus vieux des dragonniers, et il va mourir. Selka, désespérée, est revenue sur l'île où elle est née.

Cham prend soin de la dragonne. Il découvre avec stupéfaction qu'il communique en pensée avec elle. Et messire Damian l'affirme : oui, plus tard, le garçon réalisera son rêve, il deviendra dragonnier !

Le vieil homme révèle aux enfants qu'il a connu leur mère, Dhydra – celle-ci a disparu un jour de tempête peu après la naissance de Nyne. Elle aussi *parlait* avec les dragons et les élusims… Messire Damian offre à Cham une boule de verre, le cristal-qui-voit. À Nyne, il remet un petit miroir qui a appartenu à Dhydra, un miroir capable de *réfléchir* pour elle. Puis, en grande tenue de dragonnier, il enfourche Selka, qui l'emporte au-delà de l'horizon, sans doute vers le Royaume des Dragons.

Une invitation

Les premiers jours d'automne sont tièdes et ensoleillés. Nyne et Cham profitent d'une belle matinée pour parcourir les collines de l'île : c'est l'époque des mousserons, ces petits champignons si savoureux dans les omelettes. Les enfants ont déjà presque rempli leur panier quand la fillette s'exclame :

– Là ! Il y en a des tas !

Elle s'accroupit et se remet à la cueillette. Mais l'œil de Cham est attiré par quelque chose, au loin. Il scrute l'horizon, s'abritant les yeux du revers de la main. Soudain, il interpelle sa sœur :

– Nyne, regarde ! Un alcyon voyageur !

Le grand oiseau se dirige vers la tour des Courriers en poussant un cri rauque.

La fillette se relève d'un bond :

– Tu crois qu'il apporte une lettre pour papa ?

– Sûrement. Une lettre du palais…

Le cœur de Cham s'est mis à battre plus fort : au palais, il y a la Dragonnerie royale, où vivent dragons et dragonniers. Qui sait ce que cette missive peut annoncer ?

– Viens ! lance-t-il.

Et il dévale le sentier qui descend vers la ferme.

Antos est assis devant la table de la cuisine, une mince feuille de papier déroulée devant lui.

Cham et Nyne surgissent, hors d'haleine.

– Papa ! souffle le garçon. Il y a un message du palais ? On a vu un alcyon qui…

Antos hoche la tête :

— Ma foi, la lettre que je viens de recevoir nous concerne tous les trois. Écoutez !
En récompense des services rendus,
le Grand Éleveur et ses enfants
sont priés d'assister
au jubilé du roi Bertram.
Un navire viendra les chercher
dans trois jours, à l'heure de midi.
Messire Onys,
Maître Dragonnier.

Les deux enfants se mettent à parler en même temps.

– Ça veut dire qu'on est... invités au palais ? balbutie Cham.

– C'est quoi, un jubilé ? demande Nyne.

– Un jubilé, explique leur père, c'est le cinquantième anniversaire d'un événement : voilà cinquante ans que notre souverain est monté sur le trône et qu'il règne sur le pays d'Ombrune. Il y aura donc fête à Nalsara. Et, en effet, Cham, nous sommes invités au palais.

– Invités au... Oh, ce sera magnifique ! On verra les dragons et...

Antos interrompt son fils d'un geste de la main :

– Oui, ce *serait* magnifique. Malheureusement, c'est impossible.

– Mais... pourquoi ? gémit le garçon.

– Parce que j'ai des bêtes à nourrir, Cham, et des vaches à traire ; sans compter que l'une d'elles est sur le point d'avoir son veau, tu le sais. Nous serions absents au moins trois jours. Non. Je vais répondre à ce messire Onys que nous sommes très honorés, et désolés de devoir refuser son invitation.

Nyne propose avec naïveté :

— Tu pourrais y aller, toi, papa ! Trois jours, ce n'est pas si long. On s'occuperait des bêtes, hein, Cham ?

Son frère lui lance un regard noir :

— Tu ne sais même pas traire les vaches ! Et si le veau de Caramel naît, comment tu t'y prendras ?

— C'est gentil à toi, Nyne, dit doucement Antos. Mais Cham a raison. Tant pis !

Se tournant vers son fils, il ajoute :

— D'ici quelques années, tu auras bien d'autres occasions de te rendre au palais, j'en suis sûr. Allons ! Il va être l'heure de déjeuner. Ces champignons sentent bien bon ; tu nous les prépares, Nyne ? Pendant ce temps, Cham mettra le couvert, et je rédigerai ma réponse à messire Onys.

— Je… je vais chercher un truc là-haut, marmonne le garçon avant de disparaître dans l'escalier.

En vérité, il veut cacher ses larmes. Il est tellement déçu !

Arrivé dans sa chambre, il ferme la porte et se laisse tomber sur son lit. Qu'est-ce qu'il s'était imaginé ? Qu'il allait quitter l'île ? L'île aux Dragons, quel drôle de nom ! Des dragons, ici, on n'en voit que tous les neuf ans – si on réussit à les voir ! – quand des femelles viennent pondre. Après quoi, on trouve deux ou trois dragonneaux à élever, vite expédiés à Nalsara, à la Dragonnerie royale. Cette année, il est vrai, il y a eu aussi Selka…

Selka… Son arrivée était si inattendue !

Une semaine a passé depuis l'envol de la dragonne et de son dragonnier vers… où ? Vers le Royaume des Dragons, le garçon l'espère. La vie quotidienne a repris, rythmée par les travaux de la ferme. L'herbe couchée s'est redressée sur le pré où s'élevait le pavillon de messire Damian ; il n'en reste plus trace. Mais le souvenir du plus vieux des dragonniers restera à jamais inscrit dans le cœur des trois habitants de l'île.

Cham pense souvent à cette phrase du vieil homme : «Crois-moi, je sais reconnaître un futur dragonnier!»

Oui, Cham sera dragonnier un jour, même si ce jour lui paraît parfois désespérément lointain.

Pour se réconforter un peu, il va tirer de sous son armoire le coffret que messire Damian lui a donné. Agenouillé sur le plancher, le garçon murmure le mot qui provoque l'ouverture :

– *Effractet!*

Le couvercle se soulève, découvrant la boule translucide. Cham la prend entre ses mains. Lorsqu'il était auprès du vieux dragonnier, le cristal-qui-voit lui a montré des images fantastiques : une bataille, un dragon crachant le feu. Mais, depuis que messire Damian est… *parti*, le globe n'a plus renvoyé au garçon que son propre reflet, curieusement déformé par la courbure du verre.

Cham fixe la surface bombée, longtemps, attendant d'y découvrir il ne sait trop quoi. Rien ne se passe. Il redépose la boule sur son écrin de velours, referme le couvercle en soupirant, repousse le coffret dans sa cachette.

Dehors, un cri rauque retentit. Le garçon court à la fenêtre.

Un oiseau blanc s'éloigne avec de puissants battements d'ailes. L'alcyon voyageur emporte la réponse du Grand Éleveur : ni lui ni ses enfants ne se rendront au jubilé du roi.

Des voiles à l'horizon

Les journées passent. Cham accomplit ses tâches habituelles, le cœur lourd. Il ne cesse de rêver à cette fête, à laquelle il n'assistera pas. Il croit entendre les fanfares, les acclamations de la foule lorsque le roi parade sur son cheval blanc, couronné d'or et vêtu de velours chamarré – c'est ainsi qu'il se représente un roi. Il imagine le vol des dragons aux écailles étincelantes, chevauchés par leurs dragonniers en tenue d'apparat. Dire qu'il ne verra rien de tout ça ! Chaque fois qu'il y pense, il lâche un soupir à attendrir les pierres.

Le troisième jour, alors que midi approche, le garçon ne peut s'en empêcher : il va se poster en haut de la falaise. Il contemple la mer d'un œil plein de regret. À cette heure, un grand navire aurait dû apparaître, là-bas. À cette heure, son père, sa sœur et lui auraient dû attendre sur le ponton qu'une chaloupe vienne les chercher pour les amener à bord... À quoi bon être le fils du Grand Éleveur de dragons si c'est pour rester coincé sur l'île, à donner du grain aux poules et des épluchures aux cochons ? Dégoûté, Cham ramasse un caillou et le balance rageusement contre le ciel vide.

Alors, il reste bouche bée : des voiles viennent de surgir à l'horizon ! Un bateau s'avance, poussé par une bonne brise. Le cœur du garçon cogne à grands coups. Non, c'est impossible ! Ce bateau ne vient pas les chercher ! Il va bientôt virer, passer au large et disparaître. À moins que... Peut-être le message d'Antos n'est-il pas parvenu au Maître Dragonnier ? Peut-être...

Cham hausse les épaules : bah ! Si c'est le cas, qu'est-ce que ça change ? Jamais leur père n'acceptera de laisser ses bêtes. Le bateau repartira sans eux, et ce sera pire que s'il n'était pas venu. Cham commence presque à désirer qu'il change de route, s'écarte de l'île et le laisse là, déçu mais résigné.

Or, il approche. En haut du grand mât claque un drapeau blanc et or orné d'un dragon rouge. Le pavillon royal ! Un espoir fou gonfle la poitrine du garçon. Déjà ses jambes l'ont emporté. Il court. Il court vers la maison et lance, hors d'haleine :

– Papa ! Papa ! Le bateau… ! Il est là… !

Quelques instants plus tard, Antos et les enfants sont sur le ponton. Ils regardent accoster un canot d'où saute quelqu'un qu'ils ont reconnu de loin : Hadal.

Hadal ! Le premier valet de messire Damian !

Tous se saluent chaleureusement. Puis Antos demande :

– Messire Onys, le Maître Dragonnier, n'a donc pas reçu mon message ? Je lui disais…

– Oh, si, il l'a reçu ! répond Hadal. Et il m'a fait l'honneur de m'en parler, car je suis à présent son secrétaire particulier. Il a parfaitement compris vos raisons. Mais…

L'homme marque une pause; puis il reprend en souriant :

— Mais j'ai pensé que Cham et Nyne seraient bien déçus de manquer les festivités. Alors, j'ai proposé de venir les chercher. Si vous le permettez, Antos, ils seront sous ma protection. Et je vous les ramènerai dans trois jours, sur ce même navire.

Cham en a le souffle coupé d'espérance et de joie. Il lève vers son père un visage implorant. Oh, pourvu qu'il dise oui !

Antos se balance d'un pied sur l'autre, hésitant.

Hadal reprend avec gravité :

— Acceptez, Grand Éleveur ! Acceptez en souvenir de messire Damian ! Il aurait été heureux, j'en suis sûr, que vos enfants assistent au jubilé. Il a pressenti qu'ils étaient destinés à de grandes choses. Il a détecté chez eux des dons exceptionnels, qu'ils tiennent de leur mère.

Antos plonge son regard dans celui du secrétaire et murmure :

— Ainsi, messire Damian a connu Dhydra, mon épouse ? Je m'en doutais. Elle m'avait parlé d'un vieux dragonnier, sans jamais me dire son nom. Elle gardait beaucoup de choses pour elle, bien des secrets…

Il se tait ; pendant quelques instants, on n'entend plus que le clapotis des vagues contre le ponton de bois. Ni Hadal ni les enfants n'osent rompre le silence.

Enfin, Antos se tourne vers Cham et Nyne :

— Cela vous plairait de monter sur ce bateau et d'aller à cette fête ?

Le frère et la sœur soufflent d'une seule voix :

— Oh oui, papa !

— Alors, qu'est-ce que vous attendez ? Allez prendre quelques affaires ! Et dépêchez-vous ! Ne faites pas attendre notre ami Hadal !

3

Le cri du dragon

Accoudé au bastingage, Cham n'arrive pas à y croire : ils s'en vont ! C'est la première fois qu'ils quittent leur maison !

À grands gestes du bras, sa sœur et lui disent au revoir à leur père, resté seul sur le ponton. Bientôt, il n'est plus qu'une minuscule silhouette, tandis que l'île tout entière se découpe contre l'horizon. Les enfants découvrent sa curieuse forme allongée : on dirait une énorme baleine verte ! Leur maison serait son œil, et la falaise blanche ses fanons[1].

---

1. Fanons : lames de corne, dans la bouche des baleines, qui leur permettent de retenir les tout petits crustacés dont elles se nourrissent.

Puis l'île disparaît à son tour; le bateau est en pleine mer. Ça tangue; les haubans grincent; une brise salée fouette les visages. Nyne est époustouflée: autour d'eux, il n'y a plus que du ciel et de l'eau! Elle se penche pour scruter la surface liquide, imaginant le monde mystérieux caché au-dessous. Elle lance vers les profondeurs une question muette: «Est-ce là que tu habites, Vag, avec tes amis élusims?»

– Eh bien, les enfants! les interpelle joyeusement Hadal. Le voyage vous plaît?

– Oh oui! s'écrie la petite fille, enthousiaste. Quand je serai grande, je naviguerai sur toutes les mers du monde!

Cham, lui, ne se sent pas très bien. Il inspire une grande goulée d'air frais et s'efforce d'imaginer les dragons et les dragonniers qu'il verra bientôt. Dans sa tête, il se répète: «Quelle chance! Qu'est-ce que je suis content!»

Mais, bizarrement, il n'est plus si content que ça. Tout à coup, il aimerait se retrouver sur l'île, sur la terre ferme, au lieu d'avoir sous ses pieds ce drôle de plancher qui bouge et qui craque.

D'un ton aussi décontracté que possible, il demande :

— On arrive dans combien de temps ?

— Oh, fait Hadal, la traversée n'est pas longue ! Avec ce bon vent arrière, nous serons à Nalsara dans deux heures.

Deux heures ! Le garçon gémit intérieurement. Jamais il ne tiendra deux heures ! Il… il a envie de vomir, voilà !

Par chance, Hadal propose aux enfants de leur faire visiter le bateau. Ça fait du bien à Cham de se remuer. Il demande des explications, il veut apprendre le nom des voiles, il plaisante avec les matelots. Son mal de mer s'estompe peu à peu. Il l'a tout à fait oublié quand la côte apparaît enfin.

Bientôt, le navire entre dans le port. Hadal entraîne les enfants à l'avant, à la proue :

— Nous voici à Nalsara, la capitale du royaume. Vous voyez les remparts du palais,

en haut de la falaise ? Et le donjon ? La tour d'angle, c'est celle des Courriers, où nichent les alcyons voyageurs. Sur la gauche, ce grand bâtiment avec des fenêtres en arceau, c'est la Dragonnerie royale.

Cham écarquille les yeux. C'est là que vivent les dragons et leurs dragonniers !

Au sommet du donjon claque l'étendard blanc et or orné d'un dragon rouge, le drapeau du royaume d'Ombrune.

De derrière les murailles, une sonnerie de trompettes retentit. Ils sont arrivés !

Quelques instants plus tard, le frère et la sœur sautent sur le quai, leur baluchon à la main.

Bâtis sur une hauteur rocheuse, le palais royal et ses dépendances dominent le port. Sur le flanc de la colline s'alignent des centaines de maisons aux toits pentus. Du linge sèche aux fenêtres ; dans les rues étroites circule une foule pressée ; des boutiques vendent du pain, des fruits, des poissons, des vêtements, des casseroles…

Les enfants sont un peu étourdis par cette agitation, ce bruit, ces odeurs. Alors, c'est ça, une ville ?

Ils suivent Hadal jusqu'à des marches de pierre, qui escaladent la pente. Lorsqu'ils arrivent en haut, ils débouchent sur une vaste esplanade. Au fond s'élève un haut bâtiment, fermé par une épaisse grille de fer. De gigantesques sculptures ornent les montants du portail : deux dragons dressés sur leurs pattes arrière et dont les pattes avant se rejoignent au sommet.

– L'entrée de la Dragonnerie royale, annonce Hadal.

À cet instant, un rugissement puissant retentit. Cham tressaille, saisi d'une certitude bizarre.

« C'est Nour ! » pense-t-il.

Nour, c'est le petit né sur l'île, dont Cham s'est tant occupé ! Le dragonneau à qui il a donné un nom, alors qu'il n'en avait pas le droit !

Nour a-t-il senti son arrivée ?

Le Maître Dragonnier

Hadal fait entrer les enfants par une petite porte de côté. Les voilà dans l'immense cour intérieure de la dragonnerie. Il y règne une activité extraordinaire : des valets courent de tous côtés, transportant des seaux, des brosses, des bottes de paille, des baquets remplis de viande fraîche. Dans un coin, trois hommes vêtus de combinaisons de cuir discutent, la mine grave.

« Des dragonniers ! » devine Cham avec émotion.

Et cette odeur, forte, un peu piquante, le

garçon la reconnaît ; il l'a sentie près de Selka. L'odeur des dragons !

– C'est la panique, ici, aujourd'hui, fait remarquer Hadal en riant. On se prépare pour le jubilé. Il y aura, bien sûr, un grand défilé de dragonniers sur leurs montures, et une démonstration de vol à dos de dragon. On astique les bêtes afin qu'elles brillent jusqu'au bout des griffes !

Cham aimerait s'attarder, visiter les stalles qui abritent les dragons. Mais, déjà, ils franchissent une autre porte, pénètrent dans une autre cour, beaucoup plus calme.

– Venez, les invite Hadal. Vous allez loger chez moi. Ce n'est pas très grand ; on vous a installé des lits de camp dans mon bureau. J'espère que ça vous conviendra.

– Ce sera parfait ! lui assure Nyne.

Cham, lui, se dit qu'il aurait volontiers dormi dans la paille à côté d'un dragon !

Dès que les enfants ont posé leurs affaires et qu'ils se sont donné un coup de peigne, ils accompagnent Hadal à travers un dédale de corridors, grimpent des marches. Cham et Nyne ouvrent de grands yeux : les plafonds sont ornés de peintures, les murs de boiseries sculptées ; les planchers sont recouverts d'épais tapis. Pourtant, ce ne sont que des couloirs et des escaliers ! Oui, mais... ceux du palais royal !

Bientôt, Hadal frappe à une haute porte garnie de ferrures dorées.

– Entrez ! lance une voix forte.

Le frère et la sœur échangent un coup d'œil un peu inquiet : ils vont être présentés au Maître Dragonnier !

Messire Onys est un beau vieillard à barbe blanche, vêtu de cuir noir. Une large chaîne d'argent étincelle sur sa poitrine.

L'homme leur sourit avec bienveillance :

– Je suis heureux d'accueillir ici le fils et la fille de notre Grand Éleveur ! Je regrette que les soins de la ferme l'aient retenu sur l'île. Mais je suis sûr que vous lui raconterez tout en détail, n'est-ce pas ?

– Oui, messire ! soufflent les enfants, impressionnés.

Le Maître Dragonnier marche jusqu'à la fenêtre. Suivant son regard, Cham découvre que la pièce domine la cour de la dragon-nerie, qu'ils ont traversée en arrivant. Messire Onys écoute un instant le brouhaha qui monte d'en bas, l'air songeur. Puis il dit à mi-voix :

– Si votre père était venu, lui qui a l'expérience des jeunes dragons, il aurait peut-être pu nous conseiller…

Sans achever sa phrase, il revient vers ses visiteurs et lance avec jovialité :

– Eh bien, mes petits, profitez de la fête et de votre séjour parmi nous !

S'adressant à Hadal, il ajoute :

– Je compte sur vous pour assurer leur confort et leur *sécurité*. Allez, maintenant ! Du travail m'attend.

Cham s'incline, Nyne fait une révérence.

À l'instant où ils quittent la pièce, le garçon entend de nouveau, au-dehors, le rugissement d'un dragon. Et, de nouveau, il est persuadé que ce dragon n'est autre que Nour.

Tandis qu'ils marchent en sens inverse dans les couloirs, Cham repasse dans sa tête les détails de cette brève rencontre. Et il s'interroge : pourquoi messire Onys a-t-il insisté sur le mot *sécurité* en parlant d'eux à son secrétaire ? De quels conseils a-t-il besoin à propos des jeunes dragons ? Les jeunes, ici, ils sont deux : ceux qui sont nés sur l'île il y a tout juste deux mois. Qu'est-ce qui ne va pas avec les dragonneaux aux écailles vertes? Qu'est-ce qui ne va pas avec... Nour?

Car quelque chose ne va pas, Cham le sent. Il est à la fois inquiet et excité. Lui qui a un don pour communiquer avec les dragons, lui qui sera un jour dragonnier, il saura peut-être aider messire Onys?

Plongé dans ses pensées, il a ralenti le pas. Il se dépêche de rattraper Hadal et sa sœur, qui bavardent joyeusement. Tirant le secrétaire par la manche, il demande:

— Si on allait visiter la dragonnerie?

— C'est que... avec les préparatifs du jubilé, tout le monde est très occupé, là-bas. Il y aura de la bousculade; les bêtes risquent d'être énervées, et...

Cham se souvient alors que Hadal a peur des dragons...

— Oh, fait-il, je peux y aller seul. Je ne gênerai personne, je vous le promets. Et je serai très prudent.

Le secrétaire secoue la tête:

– Non, Cham. Je suis désolé. J'ai promis d'assurer votre sécurité à tous les deux. Et la dragonnerie, en ce moment, n'est pas un endroit sûr. En revanche, demain, pendant les cérémonies du jubilé, vous serez au premier rang.

Le garçon voit bien qu'il est inutile d'insister. Il fait semblant d'acquiescer :

– D'accord ! Je comprends.

Mais il sait déjà qu'il va chercher un moyen d'échapper à la surveillance de Hadal. Il le faut ! Et tant pis si ce n'est pas bien…

La ruse de Cham

L'occasion se présente beaucoup plus tôt que Cham ne l'espérait. À peine sont-ils revenus dans les appartements du secrétaire que celui-ci déclare :

– J'ai quelques documents urgents à préparer pour messire Onys. Je vais travailler une heure ou deux. Pendant ce temps, dame Soline s'occupera de vous. C'est notre lingère. Elle vous a confectionné des vêtements pour la fête ; elle aimerait vous les faire essayer. Ensuite, si vous voulez, elle vous emmènera visiter les ateliers des menuisiers et des serruriers, les hangars aux carrosses…

— Oh oui ! s'exclame Nyne, enthousiaste.

— Ce sera très intéressant ! renchérit Cham.

En réalité, il vient de penser : « Parfait ! Ce sera le moment ou jamais… »

À cet instant, on frappe à la porte. Hadal fait entrer une jeune femme au visage aimable, coiffée d'un bonnet en dentelle. Un large tablier couvre sa robe de toile brune.

Le secrétaire s'exclame :

— Je vous confie nos jeunes invités, dame Soline !

— Venez, les enfants ! lance celle-ci avec gaîté. Allons à la lingerie ! J'espère que vos tenues vous plairont. Pour vous, demoiselle, j'ai choisi une robe de brocart avec une large ceinture de soie rose et des manches bouffantes, qui…

Dame Soline est une grande bavarde ! Tout en parcourant les corridors, elle enchaîne :

— Pour les chaussures, j'ai pensé que des escarpins dorés avec un nœud de satin…

Nyne boit ces paroles, charmée. Elle s'imagine déjà vêtue en princesse! Cham, lui, n'écoute pas un mot de ce discours ininterrompu; il arrange un plan dans sa tête: «Quand on aura terminé les essayages, je prétendrai que… Hmm, oui, avec un peu de chance, ça peut marcher!»

Une demi-heure plus tard, dame Soline raccroche sur des cintres les habits de fête des enfants:

– Parfait! Je n'ai plus qu'à coudre l'ourlet de votre jupe, demoiselle, et à desserrer un peu votre gilet, messire. Ne vous inquiétez pas, tout sera prêt demain matin! Maintenant, que voulez-vous voir?

Cham, flatté de s'entendre appeler «messire», prend son air le plus sérieux pour déclarer:

– Hadal nous a parlé d'un atelier de menuiserie. Pourrions-nous le visiter? Le travail du bois, ça… ça me passionne!

Nyne lui jette un regard interloqué: depuis quand son frère s'intéresse-t-il à la menuiserie ? Il ne sait même pas planter un clou !

Mais dame Soline les entraîne déjà vers un escalier tout en se lançant dans une explication enthousiaste :

— Oh, nos menuisiers sont de véritables artistes, vous verrez ! Ils sont réputés dans tout le royaume pour leur habileté…

Elle parle, elle parle… Cham court derrière elle, le cœur battant. Pourvu que son idée fonctionne !

Tout se passe exactement comme le garçon l'a prévu.

Au bout d'un quart d'heure à regarder les copeaux tomber sous le rabot et à écouter les scies entamer des planches de chêne, Nyne commence à s'agiter. Cham se tourne alors vers dame Soline :

— Ma sœur s'ennuie. Je crois qu'elle aimerait découvrir la basse-cour. Chez nous, c'est surtout elle qui s'occupe des poules. Et ici, au palais, vous devez avoir des volailles qui… des volailles que…

Dame Soline enchaîne aussitôt :

– Bien entendu ! Nos pintades et nos poules faisanes sont de toute beauté ! Et nos lapins angoras ! Justement, plusieurs portées viennent de naître. Si vous le désirez, demoiselle…

– Oh oui ! s'écrie Nyne, ravie. Des petits lapins, ça doit être si mignon ! Nous n'en avons pas à la ferme et…

Cham l'interrompt :

– Alors, allez-y ! Moi, je préfère observer encore un peu le travail des menuisiers. C'est… tellement fascinant !

Dame Soline ne voit pas d'inconvénient à laisser le garçon sous la surveillance des artisans. Elle emmène Nyne, qui part en sautillant. Cham frémit d'excitation : la première partie de son plan a réussi !

Il s'attarde trois minutes dans l'atelier. Puis, d'un ton décontracté, il lance :

– Bon, je vais rejoindre ma sœur à la basse-cour !

L'un des menuisiers hoche distraitement la tête. Le garçon a déjà filé !

Cham a repéré une petite porte qui, lui semble-t-il, conduit à la dragonnerie. Il y court, pousse le battant de bois. Gagné ! Le voilà dans la grande cour qu'ils ont traversée en arrivant, toujours aussi animée.

Un peu hésitant, il avance de quelques pas. Un valet chargé d'une énorme selle manque de lui rentrer dedans.

– Ne reste pas dans nos jambes, toi ! grogne-t-il avant de s'éloigner.

La présence du garçon ne l'a pas étonné.
Il est vrai qu'avec ses vêtements de fermier
Cham passe aisément pour un jeune servi-
teur. Ça lui donne une idée. Il s'empare d'un
seau vide qui traîne dans un coin et va le
remplir à une fontaine. Puis il s'aventure
dans la cour. Il a maintenant un bon prétexte
pour entrer dans la stalle d'un dragon : il
vient remplir l'abreuvoir !

Des rugissements s'élèvent ici et là.
Cham tend l'oreille, espérant repérer de
nouveau la voix de Nour. C'est alors qu'un
appel retentit dans sa tête : « Cham ! »

Un inquiétant personnage

C'est Nour! Le garçon en est sûr! Son dragonneau préféré, qui se souvient de son nom! Il peut donc *parler* avec lui, comme il l'a fait avec Selka!

Il passe devant plusieurs stalles. Soudain, l'appel s'élève de nouveau:

«Cham!»

C'est là!

Il pousse la porte à claire-voie. Il discerne dans l'ombre un dragon aux écailles vertes.

– Nour?

Le garçon entre, le cœur battant. Il est

accueilli par une sorte de ronronnement rauque. Puis il entend :

« Te voilà, petit maître ? »

En trois pas, Cham est à côté de la bête, qui tourne vers lui sa tête carrée. Deux yeux brillants le fixent, deux yeux d'or qu'il reconnaît aussitôt :

– Nour, c'est toi ?

« À présent, je m'appelle Ork. Ainsi en a décidé mon dragonnier. Mais je n'aime pas ce nom. Pour toi, je serai toujours Nour. »

– Nour… Comme tu es devenu grand !

Ainsi, en deux mois, un dragon atteint presque sa taille adulte !

Cham lève la main pour gratter le front dur de Nour, comme il l'a fait si souvent quand ce n'était qu'un dragonneau. Il se souvient du jour où il l'a chevauché. Aujourd'hui, s'il voulait grimper sur son dos, il lui faudrait un escabeau !

À cet instant, il sursaute : la porte a grincé. Une haute silhouette se dessine en contre-jour tandis qu'une voix sèche lance :

– Qu'est-ce que tu fabriques ici, toi ?

D'un geste rapide, Cham attrape son seau, en verse le contenu dans l'abreuvoir et déclare avec aplomb :

— J'apporte de l'eau fraîche, messire !

— Je ne me souviens pas de t'avoir rencontré. Tu me parais bien jeune pour un valet dragonnier ! Tu es nouveau ? D'où viens-tu ?

Cet interrogatoire trouble Cham, qui bafouille :

– Je… J'ai été embauché par… messire Onys, pour… pour la préparation du jubilé.

– Ah, le jubilé… ! ironise l'homme.

Ce ton sarcastique étonne le garçon : ce personnage est un dragonnier, non ? Cham le voit mieux, maintenant que ses yeux se sont habitués à la semi-obscurité. Il est grand, mince, vêtu d'une combinaison de cuir, la tenue traditionnelle des dragonniers. Son visage osseux n'est pas sans beauté : une peau très blanche, un nez en bec d'aigle, des yeux sombres, des cheveux aussi noirs que le plumage d'un corbeau. Pourtant, malgré sa jeunesse – il n'a pas plus de vingt-cinq ans –, il dégage une désagréable impression de froideur.

– Puisque tu es là, reprend-il, tu verniras les griffes d'Ork. Mon valet n'a pas été fichu de terminer sa toilette correctement.

Sur ces mots, il pivote sur ses talons et disparaît.

Cham reste un instant décontenancé. Puis il se tourne vers le dragon :

– C'est ton dragonnier ?

« Oui. Mais il a bien du mal à me faire obéir. Il me ferme son esprit, alors je refuse ses ordres. Messire Onys se demande même si nous allons pouvoir participer à la parade du jubilé. Messire Darkat, mon dragonnier, est furieux. »

Voilà qui explique la façon dont ce Darkat a parlé du jubilé. Le garçon comprend aussi ce que voulait dire le Maître Dragonnier, lors de leur rencontre, en parlant du Grand Éleveur ; il aurait aimé que celui-ci le conseille : que faire lorsqu'un jeune dragon ne s'entend pas avec son dragonnier ? Normalement, tous deux sont unis par un lien de confiance très fort.

– Nour, demande Cham, tu n'es pas trop… malheureux ?

Le dragon cligne ses yeux d'or :

« Ne t'inquiète pas, petit maître ! Les dragons ont plus d'un tour dans leur sac. Ce qui me trouble, c'est que Darkat prétend être le fils d'un seigneur de province. Il ment. »

– Comment le sais-tu ?

«L'œil d'un dragon discerne des phénomènes que les humains ne perçoivent pas. Un homme qui ment émet une lueur jaune. J'ai vu plus d'une fois un tel halo brouiller la silhouette de cet individu.»

– Ah...! fait Cham.

L'idée que Nour appartienne à un personnage aussi inquiétant le désole.

Le dragon reprend:

«J'ai besoin de toi, petit maître. J'ai besoin que tu sois mon messager auprès de messire Onys. C'est un bon Maître Dragonnier. Il connaît toutes les bêtes de la dragonnerie et il sait leur parler. Pourtant, chaque fois qu'il s'est approché de moi, j'ai été incapable de communiquer avec lui. Quelque chose l'empêchait; il y avait comme un mur entre nous. Ce n'est pas... naturel.»

– Que veux-tu que je lui dise?

«Qu'il se méfie de messire Darkat. Je ne pénètre pas ses pensées, mais je sens qu'elles sont noires.»

Sorcier et magiciennes

Cham n'ose pas s'attarder davantage. Il retourne en vitesse à la menuiserie.

Il y arrive juste à temps : sa sœur et dame Soline reviennent de la basse-cour en bavardant.

— Oh, Cham, s'écrie la fillette, tu aurais vu ces mignons bébés lapins ! Je vais demander à papa d'acheter des lapines, et…

Nyne explique avec enthousiasme ses projets d'élevage. Le garçon opine du menton en s'efforçant de prendre un air inté-ressé. En réalité, il a la tête ailleurs : s'il veut transmettre à messire Onys le message de Nour, il est obligé de révéler à Hadal son passage à la dragonnerie… Le secrétaire va lui passer un savon ! Oui, mais la situation est grave. Ce Darkat…

– Cham, tu m'écoutes ?

Non, Cham n'écoute pas. Il s'adresse à la lingère :

– Dame Soline, ramenez-nous vite aux appartements de Hadal, s'il vous plaît ! J'ai quelque chose d'important à lui dire.

Lorsque Hadal apprend l'escapade de Cham, son premier réflexe est de se fâcher. Puis, à mesure qu'il écoute le récit du garçon, son visage s'assombrit.

– Messire Onys avait donc raison de s'inquiéter, déclare-t-il enfin. Ce messire Darkat n'a passé ici que quelques mois en tant qu'écuyer. C'est peu, comme temps de formation... Cependant, messire Onys ne pouvait lui refuser son admission dans la caste des dragonniers : au cours de son entraînement, Darkat s'est montré un chevaucheur exceptionnel. Quoique… Il semble que son jeune dragon ne l'aime guère.

Sans attendre, le secrétaire conduit les enfants chez le Maître Dragonnier.

– Ainsi, Darkat ne serait pas le fils du seigneur Bellofon, comme il le prétend ? grommelle messire Onys, soucieux.

Cham acquiesce, à peine surpris que ce grand personnage fasse tout de suite confiance à la parole d'un enfant et à celle d'un dragon.

– J'étais prêt à empêcher messire Darkat de participer à la parade, reprend le Maître Dragonnier. J'estime à présent que ce serait une erreur. Laissons-le faire, au contraire ! Ainsi, nous découvrirons ce qu'il a en tête.

– Mais, objecte Hadal, il s'agit peut-être d'un complot contre le roi ! Cet individu rumine de noires pensées, si on en croit le dragon. Rien ne nous dit qu'il n'ait pas des complices. N'est-ce pas dangereux de…

Un sourire énigmatique étire les lèvres du Maître Dragonnier :

– Oh, nous le surveillerons, Hadal ! Nous le surveillerons !

Son regard se pose alors sur Cham :

– Ainsi, petit, tu communiques avec les dragons ?

– Oui, messire.

– C'est bien. Je vais sans doute avoir besoin de toi…

Jusque-là, Nyne s'était tenue un peu à l'écart, silencieuse. Elle s'avance et déclare :

– J'ai un objet qui vous aidera peut-être.

Tous se tournent vers elle, surpris. La fillette tire alors de la poche de sa jupe un sachet de velours fermé par un cordon. Elle l'ouvre et en sort un petit miroir rond.

– C'est messire Damian qui me l'a donné avant de… partir, explique-t-elle. Il a appartenu à ma mère. Parfois, il me montre des choses…

Nyne tend le bras, le miroir posé sur sa paume.

Trois regards attentifs se penchent au-dessus de lui.

Presque aussitôt, une vapeur verdâtre monte des profondeurs du verre et se répand à sa surface.

– Aaaaah! soufflent les observateurs, médusés.

La vapeur tournoie, créant de vagues figures, qui ondulent et se tordent. Peu à peu elles se précisent, dessinent une silhouette humaine chevauchant une créature informe et sombre. Le cavalier et son étrange monture se rapprochent soudain à une telle vitesse qu'ils semblent prêts à jaillir dans la pièce.

Instinctivement, tous ont un mouvement de recul. Un visage apparaît un bref instant en gros plan ; il est peint d'un motif de lignes noires entrelacées. Puis tout s'efface. C'est fini ; le miroir ne reflète plus que les poutres du plafond.

Ce visage, malgré son inquiétant maquillage, messire Onys, Hadal et Cham l'ont reconnu. C'était celui de Darkat !

Le Maître Dragonnier est devenu très pâle :

— Cet homme est un Addrak ! Un sorcier addrak !

— Ne sommes-nous pas en paix avec les Addraks ? s'étonne Hadal. Je croyais que le traité des Frontières, signé il y a presque un siècle, empêchait définitivement la guerre entre nos deux pays.

— Oui, je le croyais aussi…

Un traité signé il y a presque un siècle ? Cham se souvient soudain des images que lui a montrées le cristal-qui-voit, des images de bataille.

« La première bataille d'un jeune dragonnier », avait commenté messire Damian en lui offrant la boule de verre. Messire Damian, le premier des dragonniers, avait donc combattu ces fameux Addraks, des barbares du Nord !

— Cela signifie… qu'ils s'apprêtent à rompre le traité ? reprend le secrétaire.

— Je ne connais pas leurs intentions, Hadal, soupire le Maître Dragonnier. Mais elles ne paraissent guère amicales.

— Alors, qu'allons-nous faire ?

— Rien. Du moins, en apparence.

D'une voix chargée de mystère, messire Onys ajoute :

— Je vais rendre visite à Isendrine et Mélisande.

En entendant ces noms, Cham sent un frisson lui parcourir le dos, sans qu'il sache pourquoi. Sa sœur lui chuchote alors à l'oreille :

— Ce sont sûrement des magiciennes !

Le jubilé

Sur la grande esplanade du château, des
gradins ont été dressés pendant la nuit. Au
centre, une loge garnie de tentures est
réservée au roi et à son épouse, la reine
Myla. À droite, il y a la loge des ministres;
à gauche, celle qu'occupent messire Onys,
le Maître Dragonnier, ainsi que Hadal, qui
couve ses jeunes invités d'un œil attentif.
Les enfants du Grand Éleveur, un peu raides
dans leurs beaux vêtements, regardent les
gradins s'emplir d'une foule élégante et
bruyante. La petite fille ne peut pas s'empê-

cher de caresser les plis soyeux de sa robe, brodée de fils d'argent. Ses escarpins dorés, trop serrés, lui font mal aux pieds, mais ils sont tellement jolis ! Cham, lui, en se voyant ce matin dans un grand miroir, tout vêtu de velours prune, s'est trouvé ridicule : il aurait été plus à l'aise en tenue de cuir, comme un dragonnier.

À présent, il attend avec un mélange d'impatience et d'angoisse que les festivités commencent. Messire Onys lui a confié un rôle important, et le garçon a presque l'impression que le sort du royaume est entre ses mains !

Une sonnerie de trompettes éclate : le roi Bertram et la reine Myla viennent d'appa-

raître dans leur loge. Des voix s'élèvent de tous les gradins :

– Vive le roi ! Vive la reine !

Les souverains saluent la foule, prennent place sur leurs sièges. Les enfants clignent des yeux, éblouis : les vêtements royaux sont entièrement tissés de fil d'or ; dans la belle lumière du matin, leurs majestés resplendissent comme deux soleils. Un instant, Cham croit voir leurs ombres projetées sur la tenture de soie blanche. Mais ce ne sont pas des ombres : derrière le roi et la reine se tiennent deux grandes femmes habillées de noir ; leurs cheveux rouges s'enroulent au sommet de leur tête en un chignon d'une incroyable hauteur.

«Isendrine et Mélisande…», devine le garçon.

Les magiciennes se tournent alors vers lui et lui adressent un petit sourire complice. Cham leur rend leur sourire, non sans fierté : il est chargé de leur faire signe dès que Nour le préviendra d'un danger.

Une nouvelle sonnerie de trompettes annonce le début des festivités. La foule se tait, et tous les regards se dirigent vers le grand portail, d'où va surgir le défilé des dragonniers. Les lourds battants s'ouvrent lentement et le premier dragon apparaît. C'est une bête magnifique! Ses écailles couleur d'encre jettent des éclairs violets. Il porte sur son dos un vieil homme aux longs cheveux d'argent.

– Oh…! lâche Nyne en saisissant la main de son frère.

Les enfants échangent un regard: tous deux ont cru un bref instant revoir messire Damian. Hélas! le plus vieux des dragonniers est parti pour toujours…

Cham se remémore les explications de Hadal, la veille au soir: «Le roi possède actuellement vingt-sept dragons. Ils défileront selon leur ordre d'arrivée à la dragonnerie. Rag passera le premier; il est le plus ancien, à présent que Selka est partie. Ork et son compagnon, que vous avez élevés sur l'île, viendront en dernier…»

Le défilé se poursuit, et c'est si fascinant que Cham en oublie presque la mystérieuse menace qui plane sur cette belle journée de fête.

Il y a des dragons bleus, des pourpres, des verts, des orangés. Ils brillent de toutes leurs écailles, et leurs griffes étincellent. Soudain, des applaudissements retentissent : Rag, le dragon noir, est arrivé au bout de l'esplanade. Déployant ses immenses ailes membraneuses, il décolle et s'élance au-dessus de la ville. Les deux bêtes qui le suivent s'envolent à leur tour. Alors monte de partout une immense acclamation : les habitants de Nalsara, rassemblés dans les rues, sur les places, penchés aux fenêtres ou grimpés sur les toits, expriment leur enthousiasme. Nyne et Cham battent des mains eux aussi, transportés.

À cet instant, Hadal se penche et leur souffle :

– Le voilà… !

Le cœur de Cham fait un bond dans sa poitrine : Nour – ou plutôt Ork – vient de franchir le portail. Sur son dos se tient un dragonnier à la mine farouche : messire Darkat !

Presque aussitôt, une phrase retentit dans la tête du garçon :

«Tu es là, petit maître ?»

«Oui», répond-il mentalement.

C'est la première fois qu'il s'adresse ainsi à un dragon, sans émettre aucun son. Va-t-il se faire comprendre ?

«C'est bien», reprend la voix.

Cham est bouleversé : ça marche ! Il est capable de communiquer avec Nour par la seule force de son esprit !

Mais le dragon continue :

«Sois attentif ! Je ne cesse de sonder les pensées de mon dragonnier. Elles sont plus fermées que jamais. Plus noires aussi. Quelque chose va arriver d'une seconde à l'autre…»

Alors que Nour longe la loge royale, Cham sent soudain sur lui le regard d'aigle du dragonnier : Darkat l'a reconnu ! Il a compris que le soi-disant nouveau valet était un imposteur! Au même instant, un avertissement retentit dans la tête du garçon:

«Maintenant, Cham!»

Le garçon le répercute aussitôt aux magiciennes:

– Maintenant!

Tout se passe alors si vite que Cham a l'impression d'être emporté par le tourbillon furieux d'un cyclone.

9

Magie noire et magie blanche

Du fond de l'horizon, une sorte d'énorme nuage noir a jailli. Il fonce sur la ville comme un rapace piquant sur une proie. Soudain il grossit, enfle horriblement, puis éclate, prenant l'aspect d'un dragon gigantesque aux ailes déployées.

Tandis que l'assistance lâche un cri d'épouvante, Nour émet un rugissement affolé : il a décollé, il vole à la rencontre du monstre ! Visiblement, le jeune dragon obéit à une volonté plus forte que la sienne. Son dragonnier s'est mis debout sur la selle, les bras tendus. L'instant d'après, il a sauté sur le dragon de fumée et le dirige droit sur la loge royale.

«Cham! crie Nour. Il veut enlever le roi!»

Le garçon se tourne vers les magiciennes. Ce qu'il voit alors le fige de stupeur: Isendrine et Mélisande sont devenues deux flammes, qui s'entortillent sur elles-mêmes. À la seconde où la gueule immonde de la créature s'ouvre, béante, devant le souverain, les flammes se transforment en licornes ailées, d'une blancheur éclatante. Telles des lances, leurs longues cornes s'enfoncent dans le poitrail de fumée de la bête. Celle-ci se rétracte, se désagrège, redevient un nuage tourbillonnant. Cham s'attend à voir Darkat tomber vers le sol comme une pierre. Mais le sorcier lui-même s'est changé en vapeur. On ne distingue plus de lui qu'un visage grimaçant où luisent deux étroites prunelles jaunes. Cela n'a duré que le temps d'un battement de cœur. Le garçon se rend à peine compte de la confusion qui règne autour de lui. Les yeux écarquillés, il contemple ce spectacle ahurissant : la masse ténébreuse a repris sa forme de dragon. Deux énormes pattes se détendent d'un coup, saisissant les licornes entre leurs griffes acérées. Le cri que lancent les magiciennes déchire les tympans de Cham. Il sent alors sa sœur le tirer par la manche :

– Regarde ! Regarde Nour !

Dans son effroi, Cham a perdu le contact avec le jeune dragon. Nour s'est posé contre la rambarde de la loge et il donne des coups de tête dedans pour attirer l'attention du garçon.

« Que veux-tu ? » souffle celui-ci.

« Saute sur mon dos ! Vite ! »

Cham ne réfléchit même pas. Il enjambe la rambarde et se laisse tomber sur la selle. Ses jambes sont trop courtes pour qu'il puisse enfiler les étriers, alors il se cramponne comme il peut. Déjà le dragon s'est envolé.

« Il faut rassembler l'armée des dragons, explique Nour. Toi, tu vas parler aux

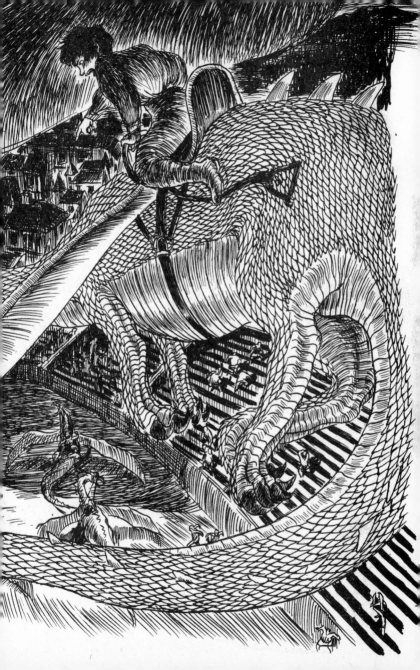

dragonniers ; moi, à mes congénères. Malgré tout leur pouvoir, Isendrine et Mélisande n'y suffiront pas. »

Même dans ses rêves les plus fous, Cham n'a jamais imaginé pareille chevauchée ! Nour l'emporte à une vitesse folle au-dessus de l'esplanade, où les dragons courent en tous sens. La présence de la créature magique les affole, et leurs dragonniers, tout aussi paniqués, n'arrivent plus à les diriger.

– Rassemblez-vous ! Attaquons ensemble ! s'égosille Cham.

Il lui semble entendre en écho les encouragements que Nour adresse aux autres dragons. Et la manœuvre réussit. Les dragonniers reprennent le contrôle de leurs montures.

Le pelage blanc des licornes est couvert de sang ; mais les magiciennes se sont libérées des griffes maléfiques. De nouveau elles attaquent, plongeant et replongeant leur corne dans le flanc de la bête. Darkat éclate d'un rire sarcastique :

– Votre magie blanche n'est pas de taille, belles dames !

Cependant, l'escadrille des dragons royaux a pris son envol ; battant l'air de leurs ailes puissantes, ils foncent sur l'ennemi. Les gueules des bêtes s'ouvrent, et il en jaillit de longues langues de flammes.

Sur le dos de Nour, Cham brandit le poing et crie à pleins poumons. Il lui semble alors que sa gorge forme des mots étranges, qu'il ne connaît pas : « Horlor gorom ! »

Cette fois, c'est le sorcier qui n'est pas de taille ! Avec un rugissement de rage, il oblige la créature ténébreuse à faire demi-tour. L'instant d'après, ils ont disparu tous les deux tel un éclair noir derrière la ligne des montagnes, très loin, à la frontière du Nord. Darkat n'a pas pu enlever le roi, sa mission a échoué. L'envoyé des Addraks est vaincu.

Les cadeaux du roi

– Vaincu… provisoirement ! soupire messire Onys.

La nuit est tombée. Hadal et les enfants sont dans le bureau du Maître Dragonnier ; ils sont encore bouleversés par les événements de cette incroyable journée.

Juste après la fuite de Darkat sur son dragon magique, le roi s'est levé dans sa loge. Les bras écartés, il a fait signe à la foule de s'apaiser :

– Ne craignez rien ! Nos magiciennes et nos dragonniers sont venus à bout de ce maléfice ! Croyez-moi, il en faudra davantage pour mettre le royaume d'Ombrune en péril ! À présent, que la parade continue ! Nos dragons vont exécuter, pour notre plus grande joie, des figures d'une audace prodigieuse ! Applaudissez-les de tout votre cœur !

Des «bravos» et des «hourras» ont alors éclaté. Rassurés, les spectateurs ont repris leurs places, trop heureux d'oublier la panique qui les avait saisis quelques instants plus tôt.

Après les acrobaties de haut vol réalisées par les dragonniers et leurs montures, il y a eu des chants, des danses, des jeux, des concours. Le soir venu, des tables ont été dressées dans toutes les rues de Nalsara et les habitants ont festoyé.

Nyne et Cham, eux, étaient invités dans la salle des banquets du palais, avec les nobles de la cour. Certes, ils étaient en bout de table en compagnie de Hadal, mais cela ne les a pas empêchés de goûter à des mets plus délicieux les uns que les autres ! Et les enfants se sont réjouis de voir Isendrine et Mélisande, saines et sauves, assises près des

souverains. Elles ne portaient aucune trace
de blessures, sans doute grâce à leurs
potions magiques.

— Craignez-vous d'autres attaques, messire ? demande Hadal, anxieux.

— Pas dans l'immédiat, le rassure messire Onys. Cependant, le sorcier projetait d'enlever notre souverain. C'est bien ce qu'a dit le jeune dragon, n'est-ce pas, Cham ?

— Oui, messire.

— Les Addraks sont probablement pris d'une nouvelle soif de conquête. S'ils avaient tenu le roi en otage, le royaume aurait été affaibli. Cet échec va les obliger à revoir leurs plans. Des régiments ont déjà été envoyés en renfort dans les citadelles au nord du royaume, ainsi qu'une dizaine de dragonniers qui patrouilleront le long de la frontière. Si des mouvements de troupes ont lieu, nous serons prévenus aussitôt. Pour l'instant, nous ne pouvons rien faire de plus.

S'adressant aux enfants, messire Onys déclare :

— Demain, le bateau qui doit vous reconduire chez vous quittera le port à midi. Avant cela, Sa Majesté Bertram souhaite vous entretenir en particulier.

– Le roi ? s'exclament Nyne et Cham d'une seule voix.

– Le roi ! confirme le Maître Dragonnier avec un sourire.

« Eh bien, petit maître, murmure Nour. Raconte ! »

Cham est allé à la dragonnerie – avec la permission de Hadal, cette fois ! – pour faire ses adieux au jeune dragon :

– Le roi m'a dit qu'en récompense de mon courage, je pouvais lui demander ce que je voulais !

« Et qu'as-tu demandé ? »

– De devenir dragonnier, bien sûr ! Il m'a promis que je pourrai être écuyer d'un dragonnier, pour commencer mon apprentissage, dès que j'aurai mes douze ans. Normalement, il faut en avoir quatorze !

« Magnifique ! Tu seras un excellent écuyer ! »

– Il a aussi interrogé ma sœur pour savoir ce qui lui ferait plaisir. Tu sais ce qu'elle a répondu ?

« Non. »

– Elle a souhaité avoir un couple de lapins angoras pour commencer un élevage ! Le roi a ri et il a dit qu'il en ferait porter quatre dans des caisses, sur le bateau.

Cham gratte le front dur de Nour :

– Et toi ? Tu vas avoir un autre dragonnier ?

« Certainement ! Il y a un écuyer de dix-huit ans qui a achevé sa formation et n'attend que l'occasion d'avoir son dragon. L'arrivée de Darkat l'en avait empêché. Plus rien ne s'y oppose, à présent. Il a encore beaucoup à apprendre, mais je crois que nous nous entendrons. »

Le garçon se tait un instant, puis il reprend, songeur :

– Tu crois qu'il va y avoir la guerre, Nour ?

« Ne t'inquiète pas, petit maître ! Si c'est le cas, nous saurons nous défendre. »

– Oui, mais… la créature qui s'est attaquée au roi…

« Les sorciers addraks sont experts dans l'art de la magie noire. Cette chose s'appelle une strige. Elle peut prendre de multiples formes. Le seul moyen de la vaincre, c'est de l'affronter avec un cœur pur et plein d'audace. C'est ce que tu as fait, Cham ! »

Le garçon saisit entre ses mains le museau carré de la bête :

– Sans toi, Nour, je n'aurais rien fait du tout.

« Ni moi sans toi, petit maître. Tu as des pouvoirs que tu ignores encore… »

– Que veux-tu dire ?

Le dragon secoue la tête :

« Tu ne te souviens pas des mots que tu as criés quand nous attaquions la strige et son cavalier ? »

Non, Cham ne se souvient pas :

– Des mots ? Quels mots ?

« Hmm... Rien d'important. Nous en parlerons une autre fois. »

Le garçon reste un instant perplexe. Puis il soupire :

– Bon, je dois m'en aller. Hadal et Nyne m'attendent pour descendre au port. Au revoir, Nour !

« Au revoir, Cham. Et merci à toi ! Tu nous as bien aidés à nous débarrasser de cet encornifleur ! »

– Encornifleur ? Ce mot n'existe pas chez les humains.

« Chez les dragons non plus ! »

Et, pour la première fois, Cham entend résonner dans sa tête le rire puissant d'un dragon.

Retrouve vite Cham et Nyne
dans la suite des aventures de

Tome 4
La nuit des élusims

— Quelle chance on a eue, d'être invités au palais! s'exclame Nyne.

Les enfants redescendent au port, accompagnés de Hadal. Leurs baluchons sont bien plus gros qu'à leur arrivée : ils contiennent les tenues d'apparat que dame Soline, la lingère, leur a confectionnées pour les fêtes royales. À vrai dire, Cham se demande ce qu'il va bien pouvoir faire d'un costume de velours à la ferme! Mais Nyne est très contente d'emporter sa « robe de princesse », comme elle l'appelle.

— De la chance? répète Hadal. Certes! Cependant, vous pouvez être fiers : sans vous, je me demande bien ce qui serait arrivé!

Cham opine de la tête. Sans eux, Darkat le sorcier, chevauchant son horrible strige, aurait enlevé le roi Bertram ; voilà ce qui serait arrivé ! Alors, la guerre contre les Addraks, ces barbares du Nord, aurait peut-être éclaté…

Le souverain en personne a même remercié les enfants du Grand Éleveur de dragons de leur intervention !

– Sans l'aide de Nour, précise toutefois Cham, nous n'aurions rien pu faire…

Le garçon se retourne et jette un dernier regard vers les murs de la dragonnerie, qui surplombent la falaise. Pourvu que le jeune dragon soit heureux avec son nouveau dragonnier !

Mais les voilà sur le quai. Le bateau qui va les ramener chez eux, sur l'île aux Dragons, les attend, amarré par d'énormes cordages. Une bonne brise souffle. Voyant claquer en haut du grand mât le drapeau blanc et or orné d'un dragon rouge – le pavillon royal –, Cham se rappelle ce que le roi lui a promis : dès ses douze ans, il pourra devenir écuyer d'un dragonnier. Ça, c'est une grande nouvelle ! Quand son père l'apprendra, il…

– Hé ! fait sa sœur en le retenant par la manche. Tu veux rejoindre le navire à la nage ?

Le nez en l'air, Cham s'est avancé imprudemment jusqu'à l'extrême bord du quai.

– Oui, mieux vaut emprunter la passerelle, conseille Hadal en riant. Venez, on peut embarquer !

En attendant le départ, tous trois se promènent sur le pont. Cham retrouve cette bizarre sensation de marcher sur un plancher qui se dérobe sous les pieds. Pourvu qu'il n'ait pas le mal de mer, comme à l'aller ! C'est que la traversée dure au moins deux heures…

Un matelot s'approche et s'adresse à Nyne :

— Les clapiers envoyés pour vous par le roi sont à bord, demoiselle.

— Oh ! s'écrie la petite fille. Je peux les voir ?

L'homme conduit les voyageurs vers l'arrière du navire. Arrivé à la poupe, il désigne une dizaine de caisses en bois, dont un côté est grillagé. Elles sont solidement attachées avec des cordages.

— Ils sont là ! souffle Nyne, attendrie. Mes beaux lap…

— Chut ! Tais-toi ! l'interrompt Hadal. Il y a un mot qu'on ne prononce jamais sur un bateau…

Et il chuchote à l'oreille de la petite fille :

— C'est le nom de tes petites bêtes à longues oreilles ! Les marins disent que ça porte malheur !

— Ah bon ? fait-elle, interloquée.

Puis elle s'étonne :

– Le roi Bertram m'avait promis quatre couples, et il y en a... deux fois plus !

Sa surprise amuse Hadal :

– Eh oui ! Notre souverain est très généreux ! Tu vas pouvoir commencer un véritable élevage !

La petite fille déclare, taquine :

– Dès que j'aurai récolté assez de poils, Hadal, je vous confectionnerai un gilet, promis !

Le moment est venu de larguer les amarres. Le capitaine lance des ordres ; les matelots s'activent ; les voiles se gonflent. Le navire s'éloigne lentement du quai. Bientôt, il sort de la rade, et un léger roulis le balance d'un côté sur l'autre.

« Ça y est, pense Cham. Je vais avoir mal au cœur... »

Accoudés au bastingage, les enfants regardent s'éloigner la ville de Nalsara, le palais royal, en haut de la falaise. Puis les voilà en pleine mer.

La houle est plus forte qu'à l'aller. Cham a l'impression que son estomac va lui remonter dans la bouche. Dire que, dans un peu plus d'un an, s'il veut devenir écuyer, il devra refaire ce voyage ! Quelle idée d'habiter une île !

Soudain, un curieux remue-ménage attire son attention. Les matelots courent sur le pont, grimpent dans les haubans. Le bateau tangue de plus en plus violemment. Cham a du mal à garder son équilibre. Le vent lui siffle aux oreilles, lui rabat les cheveux dans les yeux. Une grosse vague l'éclabousse. Hadal le tire par le bras :

— Viens ! lui crie-t-il. Allons nous abriter !

— Que se passe-t-il ? s'affole le garçon. C'est une tempête ?

— Oh, rien qu'un grain, probablement. Une forte bourrasque. Ça ne va pas durer.

Juste avant de descendre par une écoutille vers le pont inférieur, Cham lève les yeux : le ciel, si bleu à l'heure de leur départ, est maintenant d'un noir d'encre. Le garçon n'aime pas cette couleur. Elle lui rappelle un peu trop celle de l'effroyable strige…